LE GABBIANELLE

Titolo originale:
Historia de un perro llamado Leal

Prima edizione ottobre 2015
Seconda edizione dicembre 2015
Terza edizione dicembre 2015
Quarta edizione dicembre 2015
Quinta edizione dicembre 2015
Sesta edizione gennaio 2016
Settima edizione febbraio 2016

In copertina: illustrazione di Simona Mulazzani
Grafica di Guido Scarabottolo

Per essere informato sulle novità
del Gruppo editoriale Mauri Spagnol visita:
www.illibraio.it

ISBN 978-88-235-1029-6

© Luis Sepúlveda 2015
By arrangement with Literarische Agentur Mertin
Inh. Nicole Witt e. K., Frankfurt am Main, Germany
© 2015 Ugo Guanda Editore S.r.l., Via Gherardini 10, Milano
Gruppo editoriale Mauri Spagnol
www.guanda.it

LUIS SEPÚLVEDA

STORIA DI UN CANE CHE INSEGNÒ A UN BAMBINO LA FEDELTÀ

Traduzione di Ilide Carmignani
Illustrazioni di Simona Mulazzani

UGO GUANDA EDITORE

Dungu – Parole...

Questo libro colma un debito che durava da tanti anni. Ho sempre sostenuto che gran parte della mia vocazione di scrittore nasce dal fatto di aver avuto nonni che raccontavano storie, e nel lontano Sud del Cile, in una regione chiamata Araucanía o Wallmapu, ho avuto un prozio, Ignacio Kallfukurá, mapuche (termine formato dall'unione di due parole – mapu, terra, *e* che, gente *– la cui traduzione corretta è Gente della Terra), che al tramonto raccontava ai bambini mapuche storie nella sua lingua, il mapudungun. Io non capivo cosa dicevano tutti gli* *altri mapuche nella loro lingua nativa, però capivo le storie che narrava il mio prozio.*

Erano storie che parlavano di volpi, puma, condor, pappagalli, ma le mie preferite erano quelle che raccontavano le avventure di wigña, il gatto selvatico. Capivo cosa raccontava il mio prozio perché, pur non essendo nato in Araucanía, nella Wallmapu, sono anche io mapuche. Sono anche io Gente della Terra.

Ho sempre desiderato raccontare una storia ai bambini mapuche, al tramonto, sulla riva del fiume, mangiando i frutti dell'araucaria e bevendo il succo delle mele appena raccolte negli orti.

Ora che mi avvicino all'età del mio prozio Ignacio Kallfukurá, vi racconto la storia di un cane cresciuto insieme ai mapuche. Di un cane che insegnò a un bambino la fedeltà.

Vi invito quindi in Araucanía, nella Wallmapu, il paese della Gente della Terra.

STORIA DI UN CANE CHE INSEGNÒ
A UN BAMBINO LA FEDELTÀ

*Ai miei nipoti Daniel, Gabriel, Camila,
Valentina, Aurora e Samuel.
Ai miei piccoli fratelli
del popolo mapuche. Il mio popolo.*

Kiñe – Uno

Il branco di uomini ha paura. Lo so perché sono un cane e fiuto l'odore acido della paura. La paura ha sempre lo stesso odore e non importa se la prova un uomo spaventato dal buio della notte o se la prova *waren*, il topo che mangia finché il suo peso diventa una zavorra, quando *wigña*, il gatto delle montagne, si muove guardingo fra gli arbusti.

Il fetore della paura negli uomini è così forte da guastare gli aromi della terra umida, degli alberi e delle piante, delle bacche, dei funghi e del muschio che il vento mi porta dal folto del bosco.

L'aria mi porta anche, molto leggero, l'odore del fuggiasco, ma quello sa d'altro, sa di legna secca, di farina e di mele, sa di tutto quel che ho perduto.

«L'indio si nasconde di là dal fiume. Non dovremmo slegare il cane?» domanda uno degli uomini.

«No, è molto buio. Lo sleghiamo alle prime luci dell'alba» risponde l'uomo che comanda il branco.

Il branco di uomini è diviso in due: quelli seduti intorno al fuoco, che hanno acceso maledicendo la legna umida, e quelli che con le loro armi per uccidere in mano guardano verso il buio del bosco, senza vedere altro che ombre.

Anche io mi accuccio sulle zampe, tenendomi a distanza. Mi piacerebbe stare al caldo, ma evito il fuoco che hanno acceso perché il fumo mi annebbierebbe gli occhi e mi

impedirebbe di fiutare i mutevoli odori. Il fuoco è stato acceso male e si spegnerà presto. Gli uomini di questo branco non sanno che *lemu*, il bosco, dà buona legna secca, basta chiederla dicendo *mamüll, mamüll*, e allora il bosco capisce che l'uomo ha freddo e lo autorizza ad accendere un fuoco.

Mi arriva alle orecchie il gracidio di *llungki*, la rana, nascosta fra i sassi sull'altra riva di *leufü*, il fiume che scende dalle montagne. A tratti *konkon*, il gufo, imita il vento dalla cima degli alberi e *pinüyke*, il pipistrello, sbatte le ali volando mentre divora gli insetti notturni.

Il branco di uomini teme i rumori del bosco. Si muovono inquieti e io sento il fetore penetrante della paura che non li lascia riposare. Cerco di allontanarmi un po' da loro, ma la catena che ho al collo, assicurata a un tronco, me lo impedisce.

«Diamo qualcosa da mangiare al cane?» domanda uno degli uomini.

«No. Un cane caccia meglio quando è affamato» risponde il capobranco.

Chiudo gli occhi, ho fame e sete, ma non mi importa. Non mi importa di essere solo il cane per quel branco di uomini e da loro non mi aspetto altro che frustate. Non mi importa, perché dal buio mi arriva il lieve aroma di quel che ho perduto.

Epu – Due

Sogno quel che ho perduto e i miei sogni mi riportano al giorno freddo in cui caddi nella neve. Prima di cadere viaggiavo avvolto dal tepore di una borsa di lana e, ogni tanto, gli uomini di un altro branco mi lanciavano un'occhiata e dicevano: «È bello il cucciolo, diventerà un gran cane».

I miei ricordi cominciano il giorno in cui caddi nella neve, anche se a volte mi arrivano brevi immagini di un tempo ancora precedente in cui mi ritrovo accanto a un corpo tiepido e allora mi vedo insieme ad altri cani piccoli come me, attaccati a sorgenti da cui sgorga un latte caldo e saporito.

Gli uomini di quel branco si spostavano fra le alte montagne varcando passi stretti e bui che solo loro conoscevano. Montavano cavalli robusti e trasportavano cose dagli aromi piacevoli, mate, farina, carne secca, aromi che io percepivo mischiati all'odore acido del sudore dei cavalli.

Caddi fuori dalla borsa mentre ci inerpicavamo su per una scarpata, nessun uomo del branco se ne accorse e il vento freddo si portò via i miei deboli latrati. Cercai di rincorrere i cavalli ma sprofondavo nella neve e, sfinito, mi accovacciai sentendo svanire tutto il calore dal mio corpo. La neve cominciò a coprirmi. Scendeva con la stessa dolcezza del sonno che mi chiudeva gli occhi.

Il buio stava calando sulle montagne quando mi svegliai al tocco di una lingua tiepida e umida che mi scivolava addosso dal muso alla coda. Nel frattempo un naso mi fiutava tutto e, dal fondo della mia piccola memoria di ciò che ancora non conoscevo bene, spuntò un timore che mi fece rattrappire ancora di più. Pian piano però quella lingua tiepida che mi leccava scacciò la paura e, passato il freddo, lasciai che dei denti forti mi prendessero per la collottola senza farmi male. Così sospeso venni trasportato fino a una grotta e là il mio salvatore, *nawel*, il giaguaro, condivise con me il calore del suo grande corpo.

Passarono vari giorni. La luce si rifletteva sulla neve e io rimanevo accanto a *nawel*, il giaguaro. Quando il buio copriva tutto quello che c'era fuori dalla grotta, *nawel* usciva e dopo un po' rientrava con il corpo inerte di *chinge*, la moffetta, o di *wemul*, il cerbiatto, e mangiavamo insieme la loro carne ancora calda.

Nawel, il giaguaro, misurava le mie forze spingendomi con le zampe o con la testa, io

21

mi sentivo sicuro sulle gambe e mi azzardavo addirittura a uscire dalla grotta, per scorrazzare su *pire*, la neve bianca indurita.

Una notte senza ombre in cui *kuyen*, la luna, decise di condividere la sua luce con la neve, *nawel* mi prese di nuovo per la collottola con i denti e ci mettemmo in viaggio scendendo dalle montagne.

Quando vidi, spaventato, che ci allontanavamo sempre più dalla tiepida grotta, abbaiai la mia paura chiedendo di tornare. Allora *nawel* mi posò a terra e ruggì. E io compresi.

«La montagna non è posto per un *pichi-trewa*, un cucciolo di cane. Starai meglio con i mapuche, con la Gente della Terra» ruggì *nawel*, il giaguaro, e continuammo la nostra discesa dalle montagne.

Küla – Tre

All'alba gli uomini del branco sfogano la loro furia uno contro l'altro. Si danno la colpa a vicenda perché il fuoco si è spento e il freddo passa attraverso i vestiti e penetra fino alle ossa. La luce del giorno arriva avvolta da una nebbia densa che come sempre fa tacere i rumori del bosco.

Uno degli uomini taglia un pezzo di pane e me lo tira, ma prima che io possa prenderlo il capobranco lo afferra e lo lancia lontano.

«Ti ho detto che il cane deve essere affamato.»

« L'indio ormai sarà lontano. Conosce il bosco e le montagne » si giustifica quello che mi ha buttato il pezzo di pane.

« L'indio è ferito e non può essersi allontanato troppo. E poi se io dico che l'indio si nasconde nel bosco, vuol dire che è così. Slega il cane » ordina il capobranco.

Mi slegano dalla catena e io corro sulla riva del fiume, fiuto in giro, cerco l'odore del fuggiasco tra gli aromi di muschio e licheni, tra le foglie di larici e faggi antartici e andini che marciscono perché possano crescere le erbe e gli arbusti che rendono impenetrabile la boscaglia.

Il fuggiasco ha lasciato una traccia facile da seguire, è ferito, lo rivela qualche goccia di sangue che macchia le foglie. Corro più veloce, mi allontano dal branco di uomini che avanzano a fatica evitando gli alberi cresciuti sulla riva del fiume, i tronchi caduti e le rocce.

Gli uomini del branco sono in attesa dei miei latrati, li devo avvertire che ho trovato le tracce per poi condurli dal fuggiasco. Ma non faccio niente di quello che si aspettano. Mi accuccio per terra e lecco le gocce d'acqua che scorrono sulle foglie delle felci. Così calmo la sete e ignoro le grida del branco di uomini che chiamano: «Cane! Cane!»

Il silenzio degli uccelli mi dice che sono vicino e allora corro via allontanandomi dalle tracce del fuggiasco. La nebbia svanisce e tutto il bosco è una tenebra verde.

Dalla Gente della Terra, i mapuche, ho imparato che ci sono molte sfumature di verde, che il verde della foglia di larice non è uguale a quello del filo d'erba, ma io non riesco a distinguere le differenze perché sono un cane. Se alzo la testa, tra le chiome degli alberi vedo pezzi di un cielo grigio. Guido gli uomini del branco verso la parte più ampia del fiume. Poi abbaio più volte per chiamarli e con i miei latrati indico che il fuggiasco è passato sull'altra sponda.

« Bravo, cane » dice il capobranco e mi lancia un tozzo di pane che ingoio all'istante.

Sono affamato, la pancia vuota mi si attacca alle ossa, ma non lo guardo per implorare un altro pezzo. Abbaio furioso verso la riva opposta, agito frenetico la coda, rizzo i peli del dorso senza smettere di latrare.

« L'indio è vicino, il cane l'ha fiutato » dice il capobranco e mi ordina di stanare il fuggiasco.

Obbedisco, corro, entro nell'acqua, nuoto, attraverso il fiume e ricomincio a correre sulla riva fra gli arbusti e i grossi tronchi, allontanandomi sempre più dalle tracce. Il branco di uomini mi segue, sento il loro respiro alterato, i passi goffi, guadano il

fiume con l'acqua fino alla vita, carichi delle armi per uccidere e di tutta la loro roba. Continuo a correre e coi miei latrati li sprono a seguirmi. Quando non sento più le loro voci e le loro continue imprecazioni abbaio con ancora più forza. So che il capobranco non darà il permesso di fermarsi a riposare, li obbligherà a proseguire e nessuno resterà indietro perché temono il fuggiasco, il bosco, i rumori che arrivano dal folto degli alberi. La paura li lega in un branco inseparabile.

Quando arrivo su un'ampia spiaggia di ciottoli fiuto l'aria, non riesco a distinguere la gamma di verdi, l'ho già spiegato, ma al mio naso arrivano gli aromi di tutto ciò che cresce. Così cerco l'odore che voglio e non appena sento che mi arriva al naso abbaio per spronare gli uomini del branco.

Avanzo senza smettere di abbaiare finché non trovo quello che cresce senza dare né semi né frutti. *Koliwe* lo chiama la Gente della Terra, e bambù quelli che non appartengono alla Gente della Terra.

Avanzo nel canneto allontanandomi dalla riva, quasi strisciando per evitare i rami bassi, sottili ed elastici, le foglie dure che potrebbero ferirmi gli occhi. So che la marcia del branco di uomini è diventata molto difficile perché il *koliwe* cresce fitto, i fusti non lasciano quasi spazio per passare, e il carico che trasportano è una zavorra che li stordisce dalla fatica. Quando mi arrivano flebili alle orecchie i loro richiami: «Cane! Cane!», abbaio con ancora più impeto e furia, come se avessi la preda a portata di denti.

Mi accuccio e aspetto. So che i miei latrati li spronano e che ogni difficoltà accresce il loro odio nei confronti del fuggiasco. Così aspetto finché non li sento vicini e poi, muovendomi guardingo, passo a poca distanza da loro facendo la strada al contrario e torno indietro fin sulla riva del fiume.

«Cane! Cane!» gridano gli uomini del branco senza sapere da che parte andare tra i fusti fitti del *koliwe*.

Meli – Quattro

Sul fiume, dopo aver bevuto l'acqua fresca che scorre fra le pietre coperte di muschio, cerco da mangiare, perché ho bisogno di mangiare, di recuperare le forze.

Non mi costa nessuna fatica catturare *tunduku*, il topo di montagna, lo sgozzo con un morso, ma prima di mangiarlo ricordo ciò che ho imparato dalla Gente della Terra e latro dolcemente: «Come *che*, l'uomo, chiede perdono ad *aliwen*, l'albero, prima di tagliarlo e a *ufisa*, la pecora, prima di toglierle la lana, io ti chiedo perdono, *tunduku*, se sazierò la mia fame col tuo corpo».

Mangio in fretta, ma non più del necessario, e il corpo caldo di *tunduku* mi cede il suo tepore e la sua energia. Gli avanzi saranno un banchetto per *ñamku*, il falco, e prima o poi, mentre lui starà volando nell'ampio cielo, un altro *tunduku* si nutrirà delle sue uova.

Quando riprendo a cercare le tracce del fuggiasco, un rumore scuote il bosco. È *tralkan*, il tuono che annuncia il temporale. So che sarà difficile trovare le tracce mentre cade la pioggia perché *mapu*, la terra, apre tutti i suoi pori piena di gratitudine e non si avverte altro che l'odore della sua contentezza.

Cerco rifugio sotto un grosso tronco e là mi accuccio. Allora penso al motivo per cui l'odore del fuggiasco mi ricorda tutto quel che ho perduto. E pensando con dolore a quel che ho perduto mi addormento mentre la pioggia cade incessante. Allora sogno.

Sogno di essere vicino a un fuoco che mi

sprofonda in una placida sonnolenza. Vicino al fuoco ci sono altre persone, uomini, donne, bambini, che ascoltano qualcuno che parla e intanto mangiano i frutti del *pewen*, l'altissima araucaria. Parlano di me.

Dicono: «Raccontano gli anziani che un giorno *nawel*, un giaguaro forte e agile, scese dalla cordigliera di *Nawelfüta*, la sua casa, perché non a caso nella nostra lingua *Nawelfüta* significa 'giaguaro grande'».

Accadde in una mattina molto fredda e velata da una nebbia così fitta che impediva di vedere i rami degli alberi, le cime delle montagne coperte di neve, e lasciava intuire a stento il sentiero che portava alle *ruka*, le case mapuche costruite sulle rive del grande lago. Raccontano gli anziani che i cani non abbaiavano nonostante la presenza del giaguaro, anche se temendo per le pecore loro li aizzavano gridando *trewa!*, *trewa!*, e cioè cane!, cane! In quella mattina di nebbia, però, malgrado le grida, i nobili cani che

non temono *nawel*, il giaguaro, rimasero buoni, a testa bassa, e il grande felino della cordigliera si avvicinò alla prima *ruka* e, davanti alla porta orientata verso la *puelmapu*, la terra dell'Est, depositò dolcemente il carico che teneva tra le fauci. Poi *nawel*, il giaguaro, ruggì e scomparve nella nebbia.

«È così che andarono le cose» dice un altro di quelli che parlano nel mio sogno. In quella *ruka* viveva Wenchulaf, un anziano che, fedele al significato del suo nome – uomo felice –, si occupava di intrattenere i bambini nell'*ayekantun*, l'appuntamento quotidiano per ascoltare storie e canti gioiosi tramandati da altri tempi che non dovevano essere dimenticati, perché in quelle storie e in quei canti passati di padre in figlio palpitava l'orgoglio di essere mapuche, Gente della Terra.

Allarmato dalle grida Wenchulaf uscì dalla *ruka*, si chinò, prese tra le braccia il corpicino scuro, gli fece una carezza e annunciò che era un *pichitrewa*, un cucciolo di cane.

Tutta la comunità circondò Wenchulaf e lo strano regalo lasciato da *nawel*, il giaguaro. Certi dicevano che quella mattina, benché non soffiasse vento di tempesta, dalle alte montagne era sceso *kallfütray*, il rumore del cielo, altri invece sostenevano che il cucciolo era un regalo di Wenupang, il leone del cielo.

Wenchulaf li invitò a tacere. «L'importante» disse «è che il cucciolo ha freddo e fame, e come tutto ciò che ci dà Ngünemapu, lo spirito della terra, è per il nostro bene, quindi io lo accolgo con gratitudine.»

Nel mio sogno sento il calore delle braccia di Wenchulaf e alla memoria del mio naso arrivano gli odori della *ruka*: fumo di legna secca, lana, miele e farina.

Nel mio sogno e nella semioscurità della *ruka* vedo Kinturray, colei che ha un fiore. Sta allattando un cucciolo d'uomo e, quando mi vede, versa un po' del suo latte generoso in una ciotola e mi chiama.

Mentre lecco quel latte, qualcuno dice: «Hai un bel cane, Wenchulaf, speriamo che diventi un nobile pastore per le tue pecore». E il vecchio mapuche risponde: «Non è il mio cane, sarà il compagno di mio nipote Aukamañ, condor libero. Non sapremo mai dove l'ha trovato *nawel*, il giaguaro, né che cosa sia successo a sua madre, ma sappiamo che questo cucciolo è sopravvissuto alla fame e al freddo della montagna. Questo cucciolo ha dimostrato lealtà a *monwen*, la vita, non ha ceduto al comodo invito di *lakonn*, la morte, perciò si chiamerà Aufman, che nella nostra lingua significa leale e fedele».

Kechu – Cinque

La pioggia continua a cadere senza posa e nel mio rifugio io aspetto che smetta. Mi piace la pioggia che rinnova sempre le cose. A volte, quando vivevo con tutto quel che ho perduto, Aukamañ mi abbracciava forte mentre il temporale rimbombava nella notte. Quel cucciolo d'uomo si sentiva al sicuro accanto a me e io ringraziavo la pioggia per la fiducia di *peñi*, mio fratello.

Mi piaceva il cucciolo d'uomo. Mi piaceva soprattutto vederlo reggersi in piedi e fare i primi passi per la gioia di Kinturray e del vecchio Wenchulaf. Ma quello che più mi piaceva era essere già all'erta quando *alka*, il gallo, cantava svegliando *antü*, il sole, perché subito gli umani lasciavano i loro letti di pelli di pecora e la voce di Kinturray diceva *mari mari chaw* – buongiorno, padre – salutando Wenchulaf, e la voce sempre gentile del vecchio rispondeva *mari mari ñawe* – buongiorno, figlia mia – e aggiungeva *mari mari kompu che* – buongiorno a tutti – e poi ridevano, perché quel saluto comprendeva sia Aukamañ che me.

Mentre l'acqua e il latte si riscaldavano, Kinturray gettava due pugni di grano in un recipiente di ferro e lo muoveva sul fuoco per tostare i chicchi che diffondevano il primo aroma della giornata. Dopo macinava a mano i chicchi tostati, versava la farina in una ciotola, aggiungeva miele e latte e divideva quella pappa fragrante in due porzioni che Aukamañ e io divoravamo fino a saziarci.

Crescemmo insieme nelle brevi estati e

nei lunghi inverni australi. Insieme impa-
rammo dal vecchio Wenchulaf che la vita
va accolta con gratitudine. Così, per esem-
pio, il piccolo Aukamañ e io lo guardavamo
con rispetto quando prendeva una pagnot-
ta e, prima di tagliare le fette per Kinturray
e per sé, ringraziava il Ngünemapu per quel
kofke, cibo offerto dalla terra.

Durante l'estate uscivamo con il vecchio
per rallegrare i ruscelli e le cascate, per rallegrare il bosco e i suoi sentieri, i pesci e gli
uccelli, per rallegrare tutto quello che vive
nominandolo con gratitudine, perché i mapuche, la Gente della Terra, sanno che la
natura si rallegra per la loro presenza, e
l'unica cosa che chiede è che i suoi portenti
vengano nominati con belle parole, con
amore.

D'inverno sentivamo cadere la pioggia e
la grandine. Sentivamo anche scendere
sommessa la neve, felici dentro il tepore
della *ruka* con il fuoco sempre acceso. E

nei giorni di nebbia fitta Wenchulaf ci diceva che la nebbia era un beato mantello che copriva *mapu*, la terra, mentre questa preparava i regali che ci avrebbe offerto non appena il freddo si fosse ritirato nella sua dimora sulle alte montagne.

Aukamañ e io crescemmo ascoltando il vecchio Wenchulaf. Ci diceva che in ottobre, il *longkon kachilla küyen*, il mese delle spighe, quando il sole ormai riscalda e il Ngünemapu ordina ai rami dei *walle*, le alte querce, di riempirsi di *diweñe*, i dolci funghi che tanto ci piacevano, lui avrebbe insegnato al cucciolo d'uomo a lanciare un pezzo di *luma*, il legno durissimo che colpisce gli alti rami senza danneggiarli e fa cadere i *diweñe* come una pioggia di miele. «Ma dovremo stare attenti che Aufman non se li mangi tutti» spiegava il sempre sorridente Wenchulaf mentre cardava lana di pecora e, al suo fianco, Kinturray la filava sulla rocca.

Aukamañ, il cucciolo d'uomo, era curioso e non smetteva mai di fare domande al padre di sua madre. «E i pinoli, *chedki*?» chiedeva. «Mi insegni a tirar giù anche i pinoli?»

Wenchulaf aveva sempre una risposta pronta e spiegava che per godersi i pinoli bisogna aspettare che *antü*, il sole, si stanchi di brillare forte nel cielo e che il Ngünemapu gli ordini di riposarsi. Accadrà in marzo, nel *ngülliw küyen*, il mese dei pinoli, quando le alte araucarie offrono generosamente in regalo i loro frutti saporiti, però bisogna avere pazienza, *pichiche*, diceva Wenchulaf. Ti ho mai raccontato che al principio della vita le araucarie davano frutti tutto l'anno? Ma erano frutti senza sapore e secchi. Allora il Ngünemapu parlò con le araucarie e le esortò a essere pazienti, molto pazienti, e così adesso le alte araucarie danno frutti soltanto quando raggiungono l'età di un uomo vecchio. Tu, Aufman e io faremo un viaggio nelle terre dei nostri *peñi*, i nostri fratelli pewenche, la Gente del Pewen, che è il nome dato dal Ngünemapu all'araucaria, e loro ci racconteranno altre storie del grande albero, dei suoi frutti e delle terre ai piedi della cordigliera.

Fuori dal calduccio accogliente della *ruka* cadeva la pioggia buona del sud del mondo, si gelava coprendo il terreno con uno specchio di brina, o la neve copriva tutto con un mantello che invitava a restarsene lì ad ascoltare il vecchio accanto al fuoco.

Kayu – Sei

Ha smesso di piovere e il bosco ritrova tutti i suoi odori. Sto per rimettermi sulle tracce del fuggiasco, quando sento delle voci che mi allarmano. Il branco di uomini è uscito dal canneto di *koliwe* e sta arrivando. Li vedo attraversare il fiume ingrossato dalla pioggia.

Bagnati fradici e coperti di graffi, maledicono la loro sfortuna. Sembrano infuriati ed esausti. Su tutte le voci si impone il capobranco che li chiama vigliacchi e ripete che quello che stanno inseguendo è soltanto un indio e per di più ferito.

Io contavo sul fatto che si attardassero nel canneto faticando a trovare un'uscita. Mi conforta sapere che la pioggia ha cancellato le impronte del fuggiasco, così non potranno scoprirle, ed entro nel bosco con un lungo giro per non farmi vedere e per avvicinarmi a quelli che si dicono i miei padroni quando si sono ormai sistemati per la notte.

Vado da loro a testa bassa e con la coda fra le gambe. Mi avvicino sottomesso al capobranco e sopporto le frustate che mi riserva come castigo.

«Maledetto cane!» esclama mentre mi frusta e subito dopo mi lega la catena al collo.

«Non lo picchiare più, il cane ci ha guidato bene e non è colpa sua se l'indio si muove meglio di noi» dice uno degli uomini del branco.

«Non ti impicciare! Lo so io come si

tratta il cane» grida il capobranco, poi mi tira un calcio e solo allora mi lascia in pace.

Mi allontano quanto mi è permesso dalla catena, mi accuccio e da laggiù li vedo tutti intirizziti, tremano di freddo, certi dicono di avere la febbre e fame, tanta fame. Tentano invano di accendere un fuoco, perché la pioggia non ha lasciato neanche un legnetto asciutto.

Si accusano a vicenda per l'avanzata lenta, maledicono il tempo, la pioggia, il canneto, il bosco, il cielo, e lo maledicono al punto che il Ngünemapu si offende e fa ruggire *tralkan*, il tuono, per poi scatenare un nuovo temporale.

Gli uomini del branco si radunano sotto gli alberi, si coprono con mantelli di tela cerata e cercano di scaldarsi tenendosi vicini. Solo il capobranco monta la guardia stringendo la sua arma per uccidere e guardando nel folto del bosco senza vedere altro che ombre indecifrabili.

Io fiuto la disperazione del branco. Fiuto la paura, la fame, lo schifo che provano divorando pezzi di pane bagnato che gli si disfa in mano.

Accucciato, accolgo la pioggia e mi riprendo dai colpi. Ben presto scende la notte. Sento dolore, è vero, ma non sono triste, e me lo dice *küdemallü*, la lucciola, che malgrado la pioggia emana la sua minuscola luce verde.

Gli uomini del branco non la vedono, ma lei mi si posa sulla punta del naso decisa a passarmi il suo piccolo calore.

Küdemallü vuole che la guardi fisso per ricordarmi che le tracce del fuggiasco odorano di legna secca, di farina, di miele, di tutto quel che ho perduto.

Chiudo gli occhi e il suo splendore verde mi resta sotto le palpebre, le riempie di una luce intensa, e in quella luce mi vedo insieme a Aukamañ e a Wenchulaf. Ci sono anche altri cuccioli d'uomo, tutti Gente della Terra, felici di assistere all'*ayekantun*, l'incontro per imparare con gioia, perché il vecchio mapuche parla del principio di tutte le cose.

Aukamañ ha nove anni e io forse ho la stessa età. Il bambino mi accarezza la testa mentre ascolta *chedki*, il padre di sua madre, che facendo risuonare il *kultrun*, il piccolo tamburo rotondo dei canti, delle preghiere e delle narrazioni importanti, parla del terribile duello combattuto da due serpenti, Trengtreng Filu e Kaykay Filu, per decidere chi di loro meritava di regnare su tutte le cose. La lotta fu lunga e ardua, tanto che alla fine, stanchi, decisero che Trengtreng Filu avrebbe regnato sui mari e Kaykay Filu sulla terraferma, sui monti e sui vulcani. Ecco cosa sta narrando Wenchulaf ai bambini mapuche, quando viene interrotto da voci di allarme che arrivano dalle *ruka*.

Un veicolo si avvicina, si ferma, un branco di uomini salta giù. Sono *wingka*, estranei, non sono Gente della Terra, e hanno armi per uccidere.

Il capobranco si rivolge a Wenchulaf e gli chiede se lui è il *longko*, colui che più sa, colui che insegna e consiglia, colui che guida la Gente della Terra.

Wenchulaf ordina ai bambini di mettersi alle sue spalle e nella lingua dei *wingka* risponde di sì, che lui è Wenchulaf il *longko* e che nelle sue vene scorre il sangue del grande Kallfukura.

I *wingka* fanno smorfie di disprezzo. Non sanno nulla della Gente della Terra. Nessuno di loro parla *mapudungun*. Non hanno mai sentito il nome di Kallfukura – pietra azzurra –, il grande *longko* la cui semplice menzione ha fatto tremare di paura migliaia di *wingka* su tutti e due i versanti delle grandi montagne, su tutte e due le rive dei due grandi oceani.

Il capobranco dei *wingka* gli mostra un

foglio di carta e dice che quel foglio di carta ordina alla Gente della Terra di lasciare il villaggio, le loro case, le loro terre, i loro boschi, i loro fiumi, i loro laghi, le loro valli, i loro frutti, la loro farina, il loro latte e il loro miele.

Wenchulaf risponde che la terra su cui camminano e tutto quello che vedono è del Ngünemapu e che la Gente della Terra non se ne andrà, e poi aggiunge: «Un tempo, molto tempo fa, vennero dei *wingka* da nord, dalla *pikunmapu*, la terra della sventura, ma noi combattemmo, vincemmo e li cacciammo via. Poi vennero *wingka* da ovest, dalla *lafkenmapu*, la terra degli spiriti del male, furono loro a portare la tua lingua *wingka* e i tuoi dèi, ma noi combattemmo, vincemmo e li obbligammo ad accettare la pace. Vattene e di' al tuo *longko* che la Gente della Terra non se ne andrà». Ecco cosa dice Wenchulaf con una voce che non gli avevamo mai sentito, molto diversa dalla voce dolce e tranquilla delle sue narrazioni e dei suoi canti.

E queste sono le ultime parole dell'anziano che Aukamañ, i bambini mapuche e io abbiamo modo di ascoltare, perché il capobranco dei *wingka* alza la sua arma per uccidere e il sangue sgorga a fiotti dal petto di Wenchulaf che raggiunge la *wallmapu*, la patria della Gente della Terra.

La luce verde di *küdemallü*, la lucciola, bagna i miei occhi chiusi, ma vedo ancora il *wingka* che mi prende per il collo, vedo anche Aukamañ che abbraccia il nonno caduto e si rialza per difendermi, ma il *wingka* è forte e lo fa ruzzolare per terra con un colpo in faccia.

«È un cane di razza, è un pastore tedesco. Dove diavolo l'avranno rubato gli indios?» dice il *wingka*.

Questo accadde il giorno in cui persi tutto, dico dal fondo dei miei occhi a *küdemallü*, la lucciola, e la sua luce verde mi dice che non sono stato solo io a perdere tutto quel giorno.

Vedo la Gente della Terra, fra cui Aukamañ e Kinturray, che si allontanano affranti dal villaggio in fiamme, sorvegliati da *wingka* che imbracciano armi per uccidere, e vedo grandi bestie di metallo radere al suolo il bosco, abbattendo *lemu* e tutta la sua grandezza. Cadono le querce generose di *diweñe* e i robusti lecci, le araucarie e il sacro *foike*, il sempre verde cinnamomo. Tutto cade.

« Aufman! Aufman! » grida Aukamañ, e la sua voce è l'ultima cosa che perdo.

Sotto le mie palpebre la luce verde di *küdemallü*, la lucciola, mi dice: « Hai molti anni nel tuo corpo maltrattato, quasi il doppio di quelli che avevi quando i *wingka* ti hanno separato da Aukamañ, ma il Ngünemapu ha deciso di farti vivere per poterlo ritrovare e aiutare ».

Reqle – Sette

Il giorno in cui i *wingka* mi tolsero tutto ciò
che era la mia gioia cominciarono gli anni
del dolore e delle botte.

Mi trascinarono in un territorio triste,
non c'erano aromi gentili, non c'erano boschi, ma alberi dall'ombra incerta che loro
chiamano pini. Nessun uccello faceva il ni-
do sui rami, nessun animale si muoveva ai
piedi dei tronchi e perfino *piru*, il verme,
evitava di spuntare tra le foglie oleose che
coprivano il terreno.

I *wingka* sono esseri dalle strane usanze,
non provano gratitudine verso tutto ciò che

esiste. Quando tagliano il pane lo fanno senza rispetto, senza ringraziare il Ngüne-mapu per questo cibo, e quando le loro bestie di metallo abbattono il vecchio bosco di sempre non sentono il dolore di *lemu*, né gli chiedono perdono per quello che fanno.

Per loro, fin dal momento in cui mi portarono via dal villaggio mapuche, io dovevo essere un cane speciale, e non ho mai capito perché mi considerassero diverso dagli altri cani. È vero che sono grosso e veloce, ma la mia carne soffre come quella degli altri sotto le frustate e umilia anche me la gabbia in cui mi rinchiudono e ferisce anche me la catena che mi legano al collo.

Provarono a darmi nomi strani come Capitán o Boby, ma io non obbedivo mai a quei nomi, perciò cominciarono a chiamarmi semplicemente cane. Il mio unico nome è Aufman perché così mi chiamava la Gente della Terra.

In seguito vollero che combattessi con

altri cani mentre loro si godevano lo spetta-
colo bevendo un'acqua torbida che li rende
goffi e brutali. Affrontai gli altri cani prigio-
nieri ma senza attaccarli. Ricordavo i movimenti lenti, guardinghi di *nawel*, il giaguaro, e li ripetevo guardando negli occhi
l'avversario e mostrando i canini. I miei tri-
sti compagni di prigionia abbassavano la
testa e si allontanavano con la coda fra le
gambe. Allora i *wingka* ci frustavano, gli
altri perché considerati vigliacchi e me perché li avevo spaventati.

Passai molte brevi estati e lunghi inverni
nella gabbia o legato a quelle bestie di metallo che radevano al suolo i boschi, senza
altro compito che abbaiare nel caso fossero
arrivati uomini estranei al branco, finché un
giorno accadde un fatto che rese più sop-
portabile la mia prigionia.

Un *wingka* del branco s'impadronì di
qualcosa, non so che cosa fosse ma per loro
evidentemente era molto importante, e fug-

gì nella piantagione di pini. Il capobranco ordinò: « Portate il cane! » e poi mi sfregò sul naso la coperta del fuggiasco. Sapeva di sudore rancido, di paura, dell'acqua torbida che bevono i *wingka*, e non mi fu difficile trovare le tracce. Dopo qualche giro li condussi da lui, ci riuscii alla svelta ma scoprii che quella poca libertà mi aveva restituito elasticità ai muscoli, acutezza alla vista e all'udito, mentre man mano che mi allontanavo dalla piantagione di pini tornavano al mio naso gli odori noti.

A partire da quell'episodio, dalla cattura dell'uomo, il capobranco decise che ero il suo cane e non tornai più in gabbia né venni più incatenato alle bestie di metallo.

Dovevo stare sempre accanto a lui. Gridava: « Cane, seduto! » e io mi sedevo. Diceva: « Cane, attacca! » e io mostravo le zanne. A volte il capobranco e altri *wingka* uscivano dalle piantagioni di pini e si addentravano nel vecchio bosco. Portavano le armi per uccidere, sparavano e io dovevo correre in cerca della preda abbattuta. Davanti a corpi feriti latravo: «Ti chiedo perdono *yarken*, civetta, ti chiedo perdono *wilki*, tordo, ti chiedo perdono *sillo*, pernice, ti chiedo perdono *maykoño*, tortora, per la condotta dei *wingka* che ammazzano tutto ciò che vola» e gli spezzavo il collo con le zanne per evitare una dolorosa agonia.

Ero il cane. Il cane del capobranco dei *wingka*, quelli che non sono Gente della Terra. Il cane capace di fiutare le tracce e di riportare le prede durante le loro battute di caccia. Il cane che si nutriva di avanzi e si sentiva entrare gli inverni nelle ossa, la stanchezza di una vita che deve durare quanto decide il Ngünemapu.

Mi sentivo vecchio e stanco anche l'altro giorno, quando il capobranco ha detto che bisognava dare la caccia a un indio.

«Perché? Cosa ci ha fatto questo indio?» ha chiesto un uomo.

«Perché è un indio furbo, di quelli che sanno leggere e scrivere. È molto giovane, però sta sobillando i mapuche, li incoraggia a recuperare le loro terre» ha risposto il capobranco.

«Ma per questo c'è la polizia. Noi abbiamo già fatto la nostra parte quando li abbiamo cacciati dalle loro case, ora il nostro lavoro è badare alle piantagioni di legname» ha aggiunto un altro uomo del branco.

«Ascoltami bene. Quell'indio, che adesso chiamano *longko* Aukamañ, ci ha visto uccidere il *longko* Wenchulaf. È un testimone, e se un giorno qualcuno si mette a indagare su cosa è successo ci può accusare e far finire in carcere. Ecco perché deve morire» ha detto il capobranco.

Io ho afferrato il nome di Aukamañ e ho sentito che il sangue mi scorreva veloce nelle vene, che le ossa riacquistavano solidità, che i miei passi potevano portarmi dal giovane che era stato il mio *peñi*, mio fratello, quando non eravamo altro che un *pichiche* e un *pichitrewa*, un cucciolo d'uomo e un cucciolo di cane.

Al mattino il branco di *wingka* ha caricato le armi per uccidere, vettovaglie, l'acqua torbida che li rende brutali e vari attrezzi su un camioncino. Io ho viaggiato con il corpo tutto rattrappito in una gabbia, ma non mi importava.

Dopo un lungo tragitto su strade accidentate il veicolo si è fermato sulle pendici di un monte. Tutto mandava gli odori di un tempo, il bosco, la vegetazione, era una festa di profumi, e sentivo anche l'aroma piacevole della legna secca che brucia. Lì accanto scorreva un fiume e vicino c'era un villaggio della Gente della Terra. Le *ruka* erano allineate, con le porte principali orientate verso la *puelmapu*, la terra dell'Est da dove ogni giorno si alza *antü*, il vecchio sole.

Il branco di *wingka* ha cominciato a scendere guardingo la montagna. Il capobranco teneva stretta la catena che avevo legata al collo, la tirava per ricordarmi il potere della sua crudeltà. Allora l'ho visto.

Circondato da un piccolo gruppo di uomini e donne mapuche, di Gente della Terra, c'era il ragazzo con il *makuñ*, il poncho nero e rosso, i colori della nobiltà e del coraggio, tessuto forse, così ho voluto pensare, dalle mani di sua madre Kinturray. In testa aveva una fascia degli stessi colori e si muoveva con i gesti di suo nonno Wenchulaf.

Aukamañ era ormai un *che*, un giovane uomo, e io un *trewa*, un cane con tanto tempo in corpo.

Il capobranco dei *wingka* ha passato a un altro uomo la catena a cui ero legato e ha alzato la sua arma per uccidere.

Allora io mi sono messo ad abbaiare con tutte le mie forze e la pallottola ha colpito Aukamañ a una gamba. L'ho visto cadere e rialzarsi. Zoppicando ha raggiunto il bosco vicino. *Lemu* lo ha accolto nella sua oscurità verde e non lo abbiamo più visto.

C'era sangue per terra. Odore di legna secca che brucia nella mia memoria, di pane, di farina, di latte e miele.

È cominciata così questa caccia, e adesso che il sole tramonta sono qua, vicinissimo alla riva del fiume, insieme al branco di *wingka*, ad aspettare con le orecchie ritte.

Pura – Otto

Spunta l'alba e continua a piovere. Non so se ho dormito e ho sognato tutto ciò che *küdemallü*, la lucciola, mi ha fatto vedere, oppure se ho sognato di dormire. Mi sento forte e dimentico la fame, perché prima di aprire gli occhi vedo la tenue luce verde di mia sorella la lucciola che brilla ancora sotto le mie palpebre.

Il capobranco dei *wingka* ordina di continuare la caccia, di controllare le armi per uccidere, di portarsi dietro stavolta solo lo stretto necessario per un'avanzata rapida, e poi distribuisce bottiglie di quell'acqua torbida che li rende crudeli.

«Nel canneto non torniamo» brontola un uomo del branco.

«Lo circonderemo. L'indio ha attraversato il canneto, lo sappiamo, e adesso può solo essere nel bosco ad alta quota. Più sale, meno alberi ci sono, quindi lo vedremo» dice il capobranco.

Il capobranco ha ragione a metà. Non sa che Aukamañ, il fuggiasco, non ha attraversato il canneto di *koliwe*, le tracce dicono che l'ha evitato ed è salito verso il bosco. Ma è vero che lassù il bosco non è fitto e che si entra nel regno del gigantesco *pewen*, l'altissima araucaria, dove cominciano le rocce, i ghiacciai, la casa azzurra di *ñamku*, il falco, di *këlikëli*, il gheppio, di *mañke*, il condor, di Wenupang, il leone del cielo.

Ancora una volta attraverso il fiume, nuoto, raggiungo l'altra sponda e corro verso la spiaggia di ciottoli e il canneto. Non corro veloce, risparmio le forze perché so di avere davanti un lungo cammino. Raggiungo il canneto, aspetto di sentire da vicino i passi del branco di *wingka*, fingo di cercare le tracce fiutando per terra, abbaio e mi spingo tra i fusti fitti del *koliwe*. Là mi nascondo e aspetto.

Poco dopo sento le loro voci, le imprecazioni, i lamenti.

«Il cane ha trovato le tracce. Avanti, superiamo il canneto» ordina il capobranco e li vedo passare seguendo il corso del fiume.

So che cammineranno molto per raggiungere il limitare del canneto. Il *koliwe* costeggia la riva umida e anche se non si estende quanto il bosco infinito sulla terra piana, il branco di *wingka* dovrà sostenere una marcia faticosa per trovare un passaggio verso il bosco e l'inizio delle montagne.

Senza muovermi, aspetto che si siano allontanati e poi torno sulla riva del fiume nel punto in cui ho visto le orme di Aukamañ, il fuggiasco.

Non ci sono più tracce di sangue, sia perché la pioggia le ha cancellate sia perché *kollalla*, la formica, ha trasportato le goccioline di sangue secco nel labirinto del formicaio. Può darsi che la ferita non sanguini più e il pensiero mi conforta perché anche se Aukamañ e io abbiamo la stessa età, lui è giovane, forte, e il suo corpo si può riprendere velocemente.

Nel bosco regna una semioscurità e *tralkan*, il tuono, fa sentire più volte il suo ruggito annunciando che il temporale sarà lungo. Anche questo mi fa piacere, malgrado sia più difficile trovare le tracce di Aukamañ, perché rende più dura e faticosa la marcia del branco di *wingka*.

Avanzo così fra *pelliñ*, la quercia dal legno rosso, *nguefü*, il nocciolo dalle foglie fragranti, *rewli*, il faggio dalla corteccia dura come la pietra, *foike*, il sacro albero del

cinnamomo che è sempre verde. In mezzo al rumore della pioggia mi arriva dall'alto solo il canto di *trikawe*, il pappagallo.

La mia pancia reclama per la fame ma ignoro la sua protesta. Ogni tanto bevo l'acqua fresca che cade dalle enormi foglie di gunnera e proseguo col naso quasi attaccato a terra. All'improvviso fiuto il confortante odore della lana e cercando fra i rami bassi di *raral*, il noce selvatico che cresce all'ombra degli alberi alti, vedo una fibra di lana nera.

Quella piccola fibra di lana sa di legna secca, di farina, di latte e miele, di tutto quel che ho perduto. Allora, seduto sulle zampe posteriori, ululo con tutte le mie forze, ululo perché Aukamañ sappia che sono vicino e che sto andando da lui. Ululo perché la voce del dolore non si dimentica mai.

Aylla – Nove

Aukamañ si ripara dalla pioggia sotto un albero caduto. Per proteggersi ha usato anche delle foglie di gunnera, ma l'acqua si infiltra comunque e lo bagna.

Mi avvicino lentamente perché non veda in me una minaccia, perché non pensi che sono mandato dai *wingka*, perché mi riconosca.

Allarmato, il ragazzo si mette in ginocchio e nella mano gli brilla un pugnale. Non manda odore di paura, conosco quell'odore ripugnante, così mi avvicino finché non abbassa la mano armata, e allora mi accuccio al suo fianco.

«Aufman!» esclama Aukamañ abbracciandomi. Per tutta risposta gli lecco il volto e sento il sapore salato delle lacrime.

Mi stringe fra le braccia e nella lontana lingua della Gente della Terra mi dice che non mi ha mai dimenticato, che ha sempre saputo che un giorno sarei tornato da lui.

È il mio *peñi*, mio fratello. Sono il suo *peñi*, suo fratello. Aukamañ mi tocca il ventre, palpa la mia fame, da una borsa di lana tessuta nei colori del coraggio e della nobiltà tira fuori della farina tostata, fa una pappa con l'acqua pura della pioggia e con le mani a conca mi dà da mangiare. Prima di saziare la fame ringrazio il Ngünemapu per quel cibo che un tempo è stato spiga, poi grano che delle mani hanno tostato e macinato.

Aukamañ non smette di abbracciarmi e mi dice che dobbiamo andarcene da lì prima

che spiova. Parla di noi, di lui e di me uniti come un tempo e stavolta per sempre. Solo adesso vedo il sangue secco sulla sua gamba destra.

Si è strappato i pantaloni e ha applicato sulla ferita un impacco di muschio.

«Non è una ferita grave, Aufman. Il tuo latrato ha fatto sbagliare la mira al *wingka*» spiega mentre accenna ad alzarsi.

L'odore della ferita mi dice che presto sarà attaccata da *püllameñ*, il moscone azzurro che depone le larve nelle ferite di uomini e animali. Quando quel moscone attacca vengono la febbre e l'infezione. So che devo fare qualcosa e gli metto tutte e due le zampe anteriori sul petto e spingo per evitare che si alzi.

«Aufman, che fai? Dobbiamo andarcene prima che passi il temporale» dice sorpreso, ma io non smetto di spingere con le zampe perché rimanga dov'è.

Aukamañ mi guarda negli occhi. C'è fiducia nel suo sguardo, sa che non lo abbandonerò e che nella mia testa di cane c'è un'idea che posso spiegare solo coi miei gesti e movimenti canini, perché al principio dei tempi il Ngünemapu ha disposto che gli animali e gli uomini non si capissero parlando ma attraverso i sentimenti espressi dal modo di guardare. Chi non coglie la tristezza negli occhi di *kawell*, il cavallo, che dopo essere stato domato sente ancora sotto gli zoccoli la libertà perduta? Chi non percepisce la pena nello sguardo di *mansur*, il bue legato al giogo e allontanato dalla prateria? Chi non avverte la propria piccolezza contemplando le pupille di *mañke*, il condor, sovrano del cielo più alto?

Mantengo lo sguardo fisso negli occhi spalancati del mio *peñi*, mio fratello, che brillano come due luci nere sotto la fascia tessuta nei colori del coraggio e della nobiltà, l'ornamento del *longko*, di colui che più sa, di colui che insegna e consiglia.

« Va bene, Aufman. Resto qui » dice Aukamañ e allora io torno al fiume, là dove il branco di *wingka* ha lasciato le cose che non poteva portare con sé.

Continua a piovere e mi fa piacere. Che *tralkan*, il tuono, suoni il suo terribile tamburo, perché il temporale non spaventa chi è cresciuto con la Gente della Terra.

Mari – Dieci

Il branco di *wingka* ha lasciato sulla riva varie sacche coperte coi mantelli di tela cerata che usano per proteggersi dalla pioggia. Le mie zampe e le mie zanne squarciano, trovo bottiglie di quell'acqua torbida che li rende brutali, pane bagnato, munizioni delle armi per uccidere. Continuo a squarciare, a rompere le sacche finché non trovo la scatola con il disegno di una linea verticale attraversata da un'altra orizzontale.

La prendo fra i denti, non pesa troppo e posso trasportarla senza grandi sforzi, ma prima di tornare nel posto dove Aukamañ mi aspetta, rompo tutte le sacche.

So che la pioggia rovinerà l'attrezzatura del branco di *wingka*, che questo provocherà in loro un'ira enorme, li indurrà a odiarsi a vicenda, e per rendere ancora più grave il danno spingo nel fiume una dopo l'altra le bottiglie di quell'acqua torbida che li rende brutali. Senza quell'acqua torbida e senza attrezzature dovranno andarsene e io guiderò Aukamañ nel paese dei pewenche che cureranno la sua ferita.

A questo penso, l'euforia con cui squarcio tutto mi distrae e quando le mie orecchie captano la presenza dei *wingka* è troppo tardi.

« Maledetto cane! » grida uno di loro.

Sono in due, nessuno li segue. Uno si appoggia alla sua arma per uccidere perché si è fatto male a un piede e si regge a stento. L'altro alza la sua arma per uccidere e io gli salto addosso.

Lo sparo fa un rumore potente come il ruggito di *tralkan*, il tuono, io sento un colpo atroce al petto, che però non ferma il mio balzo e le mie due zampe anteriori si scontrano con il *wingka*, lui cade nel fiume, perde la sua arma per uccidere e scappa via lungo la riva. Poi viene il dolore che mi fa crollare a terra e il sangue che mi sgorga dal petto si unisce all'acqua che bagna i ciottoli.

Anche l'altro *wingka* è fuggito. Lo vedo allontanarsi zoppicando, aiutandosi con la sua arma per uccidere che sprofonda nel fango.

Allora, da un punto che le mie orecchie non riescono a individuare, arriva una voce che mi ordina di lasciar perdere i *wingka*, di alzarmi, di prendere fra i denti la scatola con sopra una linea verticale attraversata da un'altra orizzontale e di andare al rifugio di Aukamañ.

Forse è la voce di *lemu*, il bosco protettore. Forse è la voce del Ngünemapu che mi ricorda che mi chiamo Aufman – leale e fedele – e che devo essere degno del nome che mi ha dato la Gente della Terra.

Quando attraverso il fiume, l'acqua fredda rende meno dolorosa la ferita ma, arrivato sull'altra sponda, dal mio petto continua a cadere goccia a goccia il tempo di vita che mi resta.

Corro fra gli alberi che sembrano aprire un sentiero apposta per me. Il Ngünemapu ordina a *añpe*, la morbida felce, di ripulirmi la ferita al petto mentre passo, a *wemul*, il cerbiatto, di incoraggiarmi col suo dolce sguardo, e a *rere*, il picchio, di mandare un messaggio di speranza al rifugio di Aukamañ.

Corro. Non sento le zampe toccare terra. Non so se l'aria mi entra dal naso, non so se i miei occhi vedono qualcosa di più del verde del bosco, finché mi accascio sfinito e mi arriva la voce di Aukamañ.

«Aufman!» esclama abbracciandomi e

io lascio andare la scatola con il disegno di una linea verticale attraversata da un'altra orizzontale.

Mi avvolge un dolce aroma di lana e con gli occhi semichiusi scorgo i colori della nobiltà e del coraggio sul poncho che mi copre. Non avverto più dolore perché Aukamañ ha aperto la scatola e ha tirato fuori una polvere bianca che si è versato sulla ferita, per poi coprire tutto con una striscia di stoffa immacolata che si è arrotolato intorno alla gamba, ed è come se avesse curato la mia di ferita.

L'aria pian piano si ferma e non ha bisogno di entrarmi nei polmoni. Aukamañ mi accarezza, nella dolce lingua della Gente della Terra mi ripete che sono il suo *peñi*, suo fratello Aufman, leale e fedele, e mi parla dei giorni lontani in cui eravamo solo un *pichiche* e un *pichitrewa* che crescevano protetti dal fiume e dal bosco.

Una gran pace mi invade e dal profondo

del mio essere la voce del Ngünemapu, che è la stessa voce del vecchio Wenchulaf, mi dice che è il momento di intraprendere il grande viaggio, ma che prima di mettermi in cammino devo ascoltare per l'ultima volta la voce del mio *peñi*, del mio fratello mapuche.

Aukamañ mi prende fra le braccia e dice: *Marichiweu peñi*, dieci volte vinceremo fratello, perché è così che si saluta la Gente della Terra, senza mai dire addio.

Io sono Aufman, il ricordo di un cane, e la mia storia si racconta nelle *ruka* della Wallmapu, quando la nebbia del Sud del mondo nasconde il paese della Gente della Terra.

Gijón, luglio 2015. *Llitun ül wilki küyen*. Mese in cui il tordo inizia a cantare, secondo mese del calendario mapuche.

Glossario

1 – kiñe	10 – mari	19 – mari aylla
2 – epu	11 – mari kiñe	20 – epu mari
3 – küla	12 – mari epu	30 – küla mari
4 – meli	13 – mari küla	40 – meli mari
5 – kechu	14 – mari meli	50 – kechu mari
6 – kayu	15 – mari kechu	60 – kayu mari
7 – reqle	16 – mari kayu	70 – reqle mari
8 – pura	17 – mari reqle	80 – pura mari
9 – aylla	18 – mari pura	90 – aylla mari

100 – kiñe pataca
1000 – kiñe waranka

ALIWEN: albero.

ALKA: gallo.

AÑPE: felce.

ANTÜ: sole.

AUFMAN: fedele e leale.

AUKAMAÑ: condor libero.

AYEKANTUN: riunione in cui si raccontano storie e si canta allegramente.

CHE: gente, uomo.

CHEDKI: padre della madre, nonno materno.

CHINGE: moffetta.

DIWEÑE: fungo dolce che cresce sui rami della quercia.

FOIKE: cinnamomo, albero sacro dei mapuche.

KALLFUKURA: pietra azzurra, nome di un grande capo mapuche.

KALLFÜTRAY: rumore del cielo.

KAWELL: cavallo.

KAYKAY FILU: serpente che domina la terra, i monti e i vulcani.

KËLIKËLI: gheppio.

KINTURRAY: colei che ha un fiore.

KOFKE: pane

KOLIWE: bambù.

KOLLALLA: formica.

KONKON: gufo.

KÜDEMALLÜ: lucciola.

KULTRUN: piccolo tamburo rotondo dei riti mapuche.

KUYEN: luna.

LAFKENMAPU: terra dell'ovest, da dove arrivano gli spiriti del male.

LAKONN: morte.

LEMU: bosco.

LEUFÜ: fiume.

LLUNGKI: rana.

LONGKO: autorità mapuche che dirige e consiglia.

LUMA: mirto.

MAKUÑ: poncho.

MAMÜLL: legna secca.

MAÑKE: condor.

MANSUR: bue.

MAPU: terra.

MAPUDUNGUN: la lingua dei mapuche, la Gente della Terra.

MARI MARI CHAW: buongiorno padre.

MARI MARI KOMPU CHE: buongiorno a tutti.

MARI MARI ÑAWE: buongiorno figlia mia.

MAYKOÑO: tortora.

MONWEN: vita.

ÑAMKU: falco.

NAWEL: giaguaro.

NAWELFÜTA: giaguaro grande.

NGUEFÜ: nocciolo.

NGÜNEMAPU: essere superiore che comanda su tutto ciò che è vivo al mondo.

PELLIÑ: quercia dal legno rosso.

PEÑI: fratello.

PEWEN: pinolo dell'araucaria. Anche l'albero porta lo stesso nome.

PEWENCHE: gente del pewen.

PICHI: piccolo.

PICHICHE: bambino piccolo.

PICHITREWA: cucciolo di cane.

PIKUNMAPU: terra del nord, terra della sventura.

PINÜYKE: pipistrello.

PIRE: neve.

PIRU: verme.

PUELMAPU: terra dell'est.

PÜLLAMEÑ: moscone azzurro.

RARAL: noce selvatico.

RERE: picchio.

REWLI: raulí, albero della famiglia del faggio.

RUKA: casa tradizionale mapuche.

SILLO: pernice.

TRALKAN: tuono.

TRENGTRENG FILU: serpente che domina i mari.

TREWA: cane.

TRIKAWE: pappagallo.

TUNDUKU: topo di montagna.

UFISA: pecora.

WALLE: quercia.

WALLMAPU: patria, terra madre.

WAREN: topo grande.

WEMUL: cerbiatto.

WENCHULAF: uomo felice.

WENUPANG: leone del cielo, creatura mitologica.

WIGÑA: kodkod, noto anche come guiña, il più piccolo felino delle Americhe.

WILKI: tordo.

WINGKA: estraneo, forestiero, non mapuche.

YARKEN: civetta.

I tredici mesi dell'anno mapuche

Dal 21 giugno al 18 luglio: *We tripantu küyen*, mese dell'anno nuovo.

Dal 19 luglio al 15 agosto: *Llitun ül wilki küyen*, mese in cui il tordo inizia a cantare.

Dal 16 agosto al 12 settembre: *Llitun pofpof anümka küyen*, mese in cui spuntano i cereali seminati.

Dal 13 settembre al 10 ottobre: *Rayen awar küyen*, mese in cui fioriscono le fave.

Dall'11 ottobre al 7 novembre: *Langkon kachilla küyen*, mese delle spighe.

Dall'8 novembre al 5 dicembre: *Karü kachilla küyen*, mese del grano verde.

Dal 6 dicembre al 2 gennaio: *Kudewallüng küyen*, mese delle lucciole.

Dal 3 gennaio al 30 gennaio: *Püramuwün kachilla küyen*, mese del raccolto.

Dal 31 gennaio al 27 febbraio: *Trüntarü küyen*, mese delle termiti.

Dal 28 febbraio al 27 marzo: *Ngülliw küyen*, mese dei pinoli.

Dal 28 marzo al 24 aprile: *Malliñ ko küyen*, mese dell'acqua nelle pianure.

Dal 25 aprile al 22 maggio: *Trangliñ küyen*, mese delle gelate.

Dal 23 maggio al 20 giugno: *Mawün kürüf küyen*, mese della pioggia e del vento.

Indice

Nota biografica

Luis Sepúlveda è nato in Cile nel 1949 e vive in Spagna, nelle Asturie. I suoi libri sono editi in Italia da Guanda: *Il vecchio che leggeva romanzi d'amore*, *Il mondo alla fine del mondo*, *Un nome da torero*, *La frontiera scomparsa*, *Incontro d'amore in un paese in guerra*, *Diario di un killer sentimentale*, *Jacaré*, *Patagonia Express*, *Le rose di Atacama*, *Storia di una gabbianella e del gatto che le insegnò a volare*, *Raccontare, resistere* (con Bruno Arpaia), *Il generale e il giudice*, *Una sporca storia*, *I peggiori racconti dei fratelli Grim* (con Mario Delgado

Aparaín), *Il potere dei sogni*, *Cronache dal Cono Sud*, *La lampada di Aladino*, *L'ombra di quel che eravamo*, *Ritratto di gruppo con assenza*, *Ultime notizie dal Sud*, *Tutti i racconti* (a cura di Bruno Arpaia), *Storia di un gatto e del topo che diventò suo amico*, *Ingredienti per una vita di formidabili passioni*, *Storia di una lumaca che scoprì l'importanza della lentezza*, *Un'idea di felicità* (con Carlo Petrini), *Trilogia dell'amicizia*, *L'avventurosa storia dell'uzbeko muto* e *Storia di un cane che insegnò a un bambino la fedeltà*. Nella collana digitale Guanda.bit sono presenti inoltre *Uno spettro si aggira per la Spagna* e *11 settembre 1973: e "Johny" prese il fucile*.

LUIS SEPÚLVEDA

STORIA DI UNA GABBIANELLA E DEL GATTO CHE LE INSEGNÒ A VOLARE

Dopo essere capitata in una macchia di petrolio nelle acque del mare del Nord, la gabbiana Kengah atterra in fin di vita sul balcone del gatto Zorba, al quale strappa tre promesse solenni: di non mangiare l'uovo che lei sta per deporre, di averne cura e di insegnare a volare al piccolo che nascerà. Così, alla morte di Kengah, Zorba cova l'uovo e, quando si schiude, accoglie la neonata gabbianella nella buffa e affiatata comunità felina del porto di Amburgo. Ma può un gatto insegnare a volare? Per mantenere la terza promessa, Zorba dovrà ricorrere all'aiuto di tutti, anche a quello di un uomo. Una storia con la grazia di una fiaba e la forza di una parabola, che insegna la generosità disinteressata e la solidarietà, anche fra « diversi ».

GUANDA

LUIS SEPÚLVEDA

STORIA DI UN GATTO E DEL TOPO CHE DIVENTÒ SUO AMICO

A Monaco, Max è cresciuto insieme al suo gatto Mix, con cui ha un legame molto profondo. Raggiunta l'indipendenza dai genitori, Max va a vivere da solo portandosi dietro l'amato gatto. Il suo lavoro, purtroppo, lo porta spesso fuori casa e Mix, che sta invecchiando e perdendo la vista, è costretto a passare lunghe ore in solitudine. Ma un giorno sente provenire dei rumori dalla dispensa e intuisce che dev'esserci un topo... Un'altra grande storia di amicizia nella differenza, che divertirà e commuoverà più generazioni di lettori, perché questa è la magia di Luis Sepúlveda.

GUANDA

LUIS SEPÚLVEDA

STORIA DI UNA LUMACA CHE SCOPRÌ L'IMPORTANZA DELLA LENTEZZA

Le lumache che vivono nel prato chiamato Paese del Dente di Leone, sotto la frondosa pianta del calicanto, sono abituate a condurre una vita lenta e silenziosa, a nascondersi dallo sguardo avido degli altri animali, e a chiamarsi tra loro semplicemente «lumaca». Una di loro, però, trova ingiusto non avere un nome, e soprattutto è curiosa di scoprire i motivi della lentezza. Per questo, nonostante la disapprovazione delle compagne, intraprende un viaggio che la porterà a conoscere un gufo malinconico e una saggia tartaruga, a comprendere il valore della memoria e la vera natura del coraggio, e a guidare le compagne in un'avventura ardita verso la libertà. Un personaggio indimenticabile nella galleria del grande scrittore cileno dà vita a un'altra storia memorabile.

GUANDA

Fotocomposizione Editype s.r.l.
Agrate Brianza (MB)

Finito di stampare
nel mese di febbraio 2016
per conto della Ugo Guanda S.r.l.
da Grafica Veneta S.p.A. di Trebaseleghe (PD)
Printed in Italy